Cuentos para sentir

A Lola y a todos, niños y mayores, que caminan sobre una silla de ruedas

A.T.

Este libro se ha realizado en colaboración
con la Asociación para el Estudio
de la Lesión Medular Espinal (AESLEME)

Proyecto y dirección editorial: María Castillo
Coordinación editorial: Teresa Tellechea

© Del texto: Almudena Taboada, 2008
© De las ilustraciones: Ulises Wensell, 2008
© Ediciones SM, 2008
   Impresores, 2 – Urbanización Prado del Espino
   28660 Boadilla del Monte (Madrid)

CENTRO INTEGRAL DE ATENCIÓN AL CLIENTE
Tel.: 902 12 13 23
Fax: 902 24 12 22
clientes@grupo-sm.com

ISBN: 978-84-675-1410-0
Depósito legal: M-30211-2008
Impreso en España / Printed in Spain
Orymu, S.A. - Ruiz de Alda, 1 - Pinto (Madrid)

LOLA LA LOBA

ALMUDENA TABOADA
Ilustraciones de **ULISES WENSELL**

LOLA LA LOBA *VIVE* EN UNA MONTAÑA DE TIERRA MARRÓN
Y ÁRBOLES QUE HUELEN A REGALIZ.
A LOLA LE GUSTAN LOS CARAMELOS DE MENTA
Y CONTAR CUENTOS QUE HACEN REÍR.
POR ESO TODOS LOS ANIMALES DEL BOSQUE
QUIEREN ESTAR CON ELLA.

7

LOLA NO PUEDE ANDAR POR CULPA DE UNA RAMA
QUE SE LE CAYÓ EN EL LOMO UN DÍA DE TORMENTA.
CUANDO LA ENCONTRARON, MIGUELÓN, EL CONEJO DOCTOR,
CURÓ SUS HERIDAS CON UNGÜENTOS DE ALBAHACA
Y TIRITAS DE LIMÓN.
LUEGO, CON OJOS MOJADOS DE PENA, DIJO QUE LOLA
NO PODRÍA CAMINAR NUNCA MÁS.

—TENEMOS QUE HACER ALGO
—PROPUSO LA RANA JUANA—;
TENDRÁ QUE MOVERSE DE ALGUNA MANERA.
—¡UNA BICICLETA! —EXCLAMÓ EL RATÓN ANTÓN.
—¡BRUTO! —REPLICÓ LA TORTUGA LÚA—.
SI NO PUEDE ANDAR, ¿CÓMO VA A EMPUJAR
LOS PEDALES DE UNA BICICLETA?

PERO LOLA ES UNA LOBA MUY LISTA
Y SUPO CÓMO HACER UNA SILLA
DE RUEDAS.
—ES MUY FÁCIL —EXPLICÓ—.
CONSTRUIREMOS UN SILLÓN DE MADERA
CON LAS RUEDAS DEL TRICICLO
QUE ENCONTRAMOS EN EL RÍO.

EL RATÓN ANTÓN CORTÓ CON SUS DIENTES AFILADOS
UN TRONCO DE ABETO PARA HACER UN ASIENTO;
LA RANA JUANA LO PINTÓ TODO DE LUNARES ROJOS,
Y ROMERO, EL PÁJARO CARPINTERO, ATORNILLÓ LAS RUEDAS
PARA QUE NO SE ROMPIERAN
CUANDO SALTARAN LOS BACHES DEL SENDERO.

LOS ANIMALES ARREGLARON LOS CAMINOS DEL BOSQUE:
APARTARON PIEDRAS, RAMAS Y PIÑAS PARA QUE LOLA
PUDIERA PASEAR EN SU SILLA DE RUEDAS.
LOS TEJONES APARTARON LAS PIEDRAS
CON SUS HOCICOS MARRONES, LAS ARDILLAS CORTARON
HIERBA, Y LA MANADA DE LOBOS EMPUJÓ LAS RUEDAS
COMO SI FUERAN LAS DE UN COCHE DE CARRERAS.

17

ES VERANO EN EL BOSQUE
Y HACE MUCHO CALOR.
EL LOBO FRAN ES EL PRIMERO QUE OLFATEA
EL PELIGRO: HUELE A HUMO.
LEVANTA EL HOCICO Y AÚLLA.

ENSEGUIDA APARECEN LLAMAS ENORMES,
COMO SI BROTARAN DE LA BOCA DE UN DRAGÓN.
EL AIRE SE VUELVE NEGRO Y CASI NO SE PUEDE RESPIRAR.
—¡DEPRISA, DEPRISA! —GRITA FRAN.
—¡HAY QUE LLEGAR AL RÍO! —EXCLAMA EL RATÓN ANTÓN.
—¡VAMOS A SALVARNOS! —CROA LA RANA JUANA.
"¡ALTO!, —PIENSAN TODOS—.
¡HAY QUE AYUDAR A LOLA!"

21

RÁPIDAMENTE LOS ANIMALES ACUDEN A LA CUEVA
PARA EMPUJAR LA SILLA POR EL CAMINO HACIA EL RÍO.
LOLA BAJA VELOZ POR LA LADERA.
LOS CASTORES HACEN UNA BALSA
Y LAS TORTUGAS ATAN LA SILLA CON FUERZA
PARA QUE LA LOBA NO CAIGA SI LA CORRIENTE LA LLEVA.

TODOS MIRAN AL CIELO: EN LA CIMA DE LA MONTAÑA
APARECEN NUBES GRISES REPLETAS DE AGUA.
PRONTO EMPIEZAN A CAER GOTAS QUE,
POCO A POCO, APAGAN EL FUEGO.

YA ES DE NOCHE CUANDO REGRESAN A CASA.
LA LOBA SUBE CON AYUDA DE LOS OSOS Y LOS LOBOS.
CASI TODO ESTÁ QUEMADO.

27

LOLA EMPIEZA A CONTAR UN CUENTO
QUE A TODOS DIVIERTA:
—HABÍA UNA VEZ UNA LECHUZA QUE COMÍA
LECHUGA PARA PARECER UNA ENSALADA.
LOS ANIMALES SE RÍEN. EL MONTE YA NO PARECE
TAN NEGRO, NI EL AIRE TAN ESPESO.
Y, ES QUE, LOLA LA LOBA
NO ES UNA LOBA CUALQUIERA.
LE GUSTAN LOS ÁRBOLES QUE HUELEN
A REGALIZ, EL AROMA A TIERRA
MOJADA Y LAMER LOS CARAMELOS
QUE SABEN A MENTA.

Cuentos para sentir